KB075695

저 멀리 하얀 나, 바라보며

하얀 나

발   행 | 2024년 08월 01일
저   자 | 하빈
펴낸이 | 한건희
펴낸곳 | 주식회사 부크크
출판사등록 | 2014.07.15.(제2014-16호)
주   소 | 서울특별시 금천구 가산디지털1로 119 SK트윈타워 A동 305호
전   화 | 1670-8316
이메일 | info@bookk.co.kr

ISBN | 979-11-410-9917-6

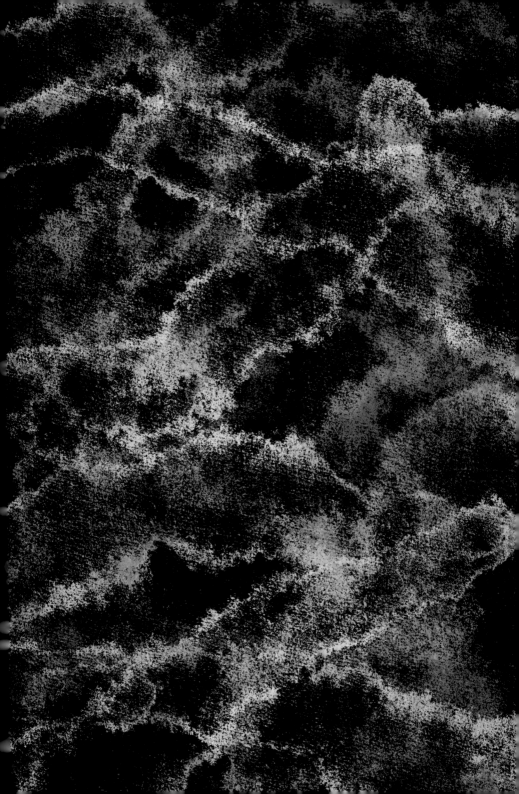

1 하얀 나

(Snowflake, 2024)
시 (001)
Pencil on paper,
작가 미상

사랑하는 어머니에게 이 책을 바칩니다.

1.
오직 사랑

나는 물었지
너를 숨 쉬게 하는 것들에 대하여
내게 말했지.
공기, 가족, 강아지, 책,
재즈, 직업, 피자, 산책,
시인들, 크리스마스, 여행..
그리곤 내게 물었지.
나를 숨 쉬게 하는 것들에 대하여.
네게 말했지.
오직 사랑.

2.
유성

떨어지는 별이 획을 그으며 지나가면
너의 생각이 난다.
하늘에 이름을 그리며 추억을 억지로 실어 보낸다.
우주를 떠다니겠지.
왕복선 없는 유성을 따라 끊임없이 날아가며
결국 먼지가 되어 사라지겠지.
어쩌면 나는 별자리가 된 그 먼지들을 모아
또다시 너의 이름으로 그리겠지.

3.
하얀 나

내 머리가 하얘질 때
그렇게 좋아하던 눈송이가 내 온몸을 덮을 때
사랑하는 이들 중 몇이나 내 곁에 있으려나.
그때에 난 차라리 숨 쉬는 것을 슬퍼할까
아직 오지 않은 그리움에 내가 밤마다 울고 있다는 걸
그들은 알고 있을 까.
사랑하는 이들의 이름을 조용히 내 곁에 놓아두며
오늘에게 감사하며, 사랑하며, 살아가며.
저 멀리 하얀 나, 바라보며.

4.
겁쟁이의 사랑법

내가 사랑한다고 말하면
사랑해라고 대답해 줘요

나도 사랑해라는 말은
괜히 나를 외롭게 만들어요.

내 사랑이 표 나지 않으면
당신 사랑이 사라질까 겁이 나요.

5.
어부의 기도

어부는 바다로 나갔다.
그를 허락하지 않을 바다에 몸을 실었다.
찢긴 손을 헝겊으로 대충 둘러놓곤
거친 파도 위로 그물을 던진다.
몇 번의 물질, 온몸에 퍼런 멍이 든다.
파도가 잔잔해질 때 유난히 고요한 달빛아래
한 아비는 제 아비에게,
오로지 가족을 위한 기도를 한다.
유일한 위로는 금세 사라진다.
육지로 돌아온다. 그를 기다리는 가족에게로.
찢긴 손을 헝겊으로 덮은, 기도를 숨기고선.
어부는 바다를 떠났다.

6.
여인초

거울 앞에 서있다.
당신을 바라볼 준비가 되어있다.
눈을 비춘다. 곧 당신을 비춘다.
애틋한 마음, 선한 향기가 바람을 타고 스친다.
무탈하기를.

7.
역방향 좌석

목적지 없는 여행은 제게 어렵지 않습니다.
밥 한 끼 든든히 먹어두고 발걸음이 이끄는 곳으로 걷다 보면
어느새 오래된 전철역에 서있습니다.
이 이국적인 곳에 좌석은 늘 역방향인 탓에
창가로 사라지는 것들을 보자 하면
마치 과거로 돌아가는 듯 앞질러 사라집니다.
어머니의 품을 떠나 시작된 여행은
어느덧 두 손의 손가락을 모두 세어도 세어지지 않을 시간이 되었습니다.
그 시간들이 고달팠는가, 스스로 묻던 차
모든 순간들은 찰나임을 창 밖, 빠르게 사라지는 풍경들에 깨닫습니다.
어떤 이는 망각을 신의 선물이라 부릅니다. 제겐 너무나 아쉬운 것임을.
정거장 하나에 잊었던 기억들을 떠올려봅니다. 숨 고르듯 현재에 잠시 머물다
출발하는 기차에 또다시 과거로 떠나옵니다.
이 이국적인 곳에 좌석은 늘 역방향인 탓에
결국은 모두 찰나였음을. 목적지 없는 여행이라 생각한 이 삶이
현재로부터 과거로. 과거로부터 미래로 이어지는 여정임을 깨닫습니다.

8.
순대를 보다가 사랑을 떠올리는 사람

순대를 시켰는데 허파랑 간이 나왔어.
젓가락으로 집었는데 갑자기 심장이 뛰었어.
설마 내 심장도 이렇게 생겼을까.
갑자기 가슴이 바닥 한가운데 툭 떨어졌다.
나는 겨우 이렇게 생긴 심장으로 몇 명이나 마음에 담아야 하는가.
지금 당장 떠오르는 사람들만 하여도 열손가락을 넘는데.
나의 작은 심장에 그들을 모두 담을 수 있나.
앞에 앉은 친구 녀석이 이 틈을 타 순대를 거의 다 먹었을 때,
남은 한 조각도 양보하기로 했다.
이 앞에 친구도 내 가슴에 담았으니.
부끄럽게도 난 순대를 보다가 사랑을 떠올리는 사람.
감사하게도 난 순대를 보다가 사랑을 떠올리는 사람.

9.
띄어쓰기

내가지금띄어쓰기를하지않는이유는
어젯밤약속한너와만나지못했기때문이다.
시를쓸때난늘누군가를떠올리고
지금난온전히너의이야기를적을테니까.
하루를떨어져도이만큼이나그립다.
이런지독한열망을누군가는사랑이라불러줄까.
사랑하는마음이란쉬운것이아니다.
보지못한사람을그리워하는것만큼아픈것은없고
뜨거운애정은늘데이기쉽다지만,
견뎌내고심장속가득히담아두었다면
배려이고존중이고노력일테지.
마치어젯밤만나지못한너를그리워하는이글에는
띄어쓰기가없는것처럼

10.
플레이 리스트

너와 나의 마음이 똑같다면 좋을까.
온종일 너의 모습이 눈에 선해
심장이 고장 날 즈음에
너는 어떤 마음일까 문득 걱정이 된다.

나와 같다면 너의 심장도 고장 날까 걱정이고
나와 다르다면 나의 심장이 멈춰질까 걱정이다.

때마침 네가 좋아하는 노래가 흐른다.
(사실 나의 모든 선곡은 네가 좋아하는 노래뿐이라)
생각하기를 그만두고 음악을 듣기로 한다.

-

어머니 말씀에 예전에는 좋아하는 사람에게
음악을 선곡해 선물했다고 한다.
그 마음이 예쁘다. 가사 하나, 멜로디 하나,
오직 한 사람을 위해 만들어진 플레이 리스트.
어쩌면 최고의 세레나데가 되겠다.

11.
모든 사랑

같다. 갖다. 갔다.

12.
책상아래 블랙홀

잃어버린 물건들은 다 우주에 있을 거야.
엄마가 찾지 못한 양말들은 다 우주에 있을 거야.
책상아래 구석 깊은 곳 어두운 구멍으로 다 사라졌겠지.

그래서 난 책상아래 숨었다.
잃어버린 것들을 찾아 떠나려고.
혹시 몰라 이불을 머리까지 덮고서
비상식량 조금 챙겨 놓고서.

다 우주에 있을 거야.
잃어버린 장난감도, 잃어버린 양말도,
잊어버린 기억들도, 나를 떠난 사람들도,
내가 떠나보낸 그 아이도.

13.
찬바닥

엄마,
어제는 소파에 누워있는데 따뜻한 기분이 들면서 옛 생각이 났어.
차가운 바닥이 당연했던 적이 있었지. 반찬도 없이 먹던 흰쌀밥.
페트병에 담긴 뜨거운 물, 서로 껴안지 않으면 잠들 수 없던 추운 밤.
그래도 엄마는 늘 내가 꿈을 꿀 수 있도록 잠들 때까지 토닥여 줬잖아.
이제는 그 집에 두 배가 되는 거실에, 소파도 있어.
좋은 사람들도 함께하고, 꿈꾸던 매일을 살면서 말이야.
이제 내 꿈은 하나 남았네. 우리 엄마 호강 시켜주는 거.
엄마 멋진 그림 그릴 수 있게 해주는 거.
내 자랑 실컷 하게 해주는 거.

엄마, 따뜻한 기분이 들면서 차가웠던 바닥이 떠올랐어.

14.
사과나무

듣고 계시는지 궁금.
아니 글로 적었으니 읽고 계실지 궁금.
내가 지은 죄들에게 사과.
나를 아껴줬던 이들에게 사과.
사과나무에서 따버린 사과에게도 사과.

모자란 게 많은 이 사람을
무슨 이유로 그리 아껴주었나요?
당신과 나는 다른 배에서 태어나
다른 것을 먹고, 다른 곳에서 잠들고,
우리는 살아온 모든 것이 다른데.
왜 나를 그렇게 아껴주었나요?

사과나무를 보며 떠오른 생각입니다.

당신을 왜 나를 아껴주었는가, 당신은 왜 나를 사랑해 주었는 가.

이런 생각이 떠오르니
듣고 계실 당신에게 사과,
아니 글로 적었으니 읽고 계실 당신에게 사과.
아직 덜 익은 사과를 따버린 사과나무에게도 사과.

15.
서른 즈음에

"그림자나 기둥 같은 것들을 좋아한 지 조금 되었어요.
아마 처지가 비슷하다고 느껴서일까요? 동정심을 느낀 걸까요?
책임이란 건 시간에 따라 생겨나는 것 같아요.
나이테가 짙어질수록 나무의 뿌리는 깊어지는 것처럼 말이에요.
서른 즈음에를 들으며 공감하는 날이 올지 누가 알았겠어요. "

그림자나 기둥 같은 것들을 좋아한 지 조금 되었어요.
읊조리듯 말했다.

16.
달라진 점

몇 밤을 더 보내고서
내게 달라진 점이 있다면
방이 조금 넓어졌다는 것.
욕실이 약간 지저분해진 것.
밤마다 영화를 보며 잠이 드는 것.
점심에 휴대폰을 들고나가지 않는 것.
무엇보다 배터리가 떨어지지 않는 것.
크게 변하지도 않은 상황들이
묵묵히 슬프게 다가온다.

담담히 눈물짓던 모습에
묵묵히 떠나보낼 수밖에 없었듯이.

17.
탈출과정 유일 목격자 3의 대화 진술서

그는 바닥에 누웠다.
손에 쥔 분필로 제 몸을 따라 그렸다.
어릴 적 손을 따라그리던 그런 선 말이다.
몸을 다 휘감았을 때 숨을 잠시 참는 것 같았다.

그는 내게 그 공간이 유일한 출구라고 하였다.
아무도 모르게 정리하는 방법이라고 하였다.
하얀 선은 그의 머리부터 발까지 다 휘감았다.
어떤 현장에 그려진 마킹처럼 말이다.

일어나 바지를 털었다.
그리고선 천천히 걸었다.
사라졌다.

그게 그와의 마지막 만남이다.

18.
조명의 꿈

반짝 반짝
조명의 꿈은
저 태양이 되는 것.

19.
끓는점

인연의 끓는점은 몇 도일까
처음 보는 이들이 사랑에 빠지기까지,
그 온도가 궁금하다. 서로의 가슴사이 타오르는 장작 같은 것.
손끝이 닿을 때에, 어두웠던 밤마저 밝히던 스파크.
이성마저 증기가 되어 사라지는 연인들의 감정
서로를 안게 된다면 녹아 사라질까.
애정의 온도를 잴 수 있다면 36.5도 언저리즘 될까

20.
동경

언제부턴가 너는 빛나기 시작해서
나는 그림자가 되었다.
앞모습은 보여주지 않고
찰랑거리는 머리와 향기만 주었다.
관심조차 없는 너를 떠나려 할 때에
너는 더욱 밝아져 난 다시 어두워진다.
아이들은 그림자로 놀이라도 한다더만
뒤 한번 돌아보지 않는 너를 미워할까.
너는 더욱 빛이 나고
나는 더욱 길어진다.
조용히 네 곁에 스며들어 바라본다.
너의 뒷모습마저 동경하며.

21.
이별의 도시

세 번째 공항을 갔을 때,
더 이상 눈물이 나지 않았다.
섭섭해하는 너에게 "이미 많이 울어서"라며 달래고
문을 넘어갈 때 "아마 우린 달라서"라고 마지막 말을 전했지.

이 도시는 눈이 많이 내린다.
잦은 이별을 목격한다. 캐리어를 들고 오는 이들.
두 언어 사이 혼란하기만 한 내게도 익숙한 [je me souviens].
무엇을 잊지 못하나.

이별은 떠나는 자와 떠나보내야 하는 자가 존재한다.

비행기, 공항, 편지, 항구, 간판들.

모두 이유가 있으련다.
더 이상 눈물이 나지 않았다.
이별의 도시. 나는 이곳에 있으니.

22.
스포일러

이 꽃은 사라진다.
저 달은 없어진다.
그 음악도, 새들도, 글도
모든 게 사라진다.

우리는 어느 작가의
아름다운 공상 속에 살고 있다.

눈을 감았다 뜨니 모든 게 비워져 버렸다.
공허해졌다.

23.
에필로그

존재한다는 것은 거대한 운명적 기원이 아닐지라도
충분히 가치 있다. 아마 우리 중 일부는 100년을 채 살지 못하고
본연의 모습으로 돌아갈 테지만. 그 또한 배드엔딩이 아니라는 것을.
운명론자의 시점으로 보자면 탄생은 분명한 이유가 존재할 테니.
조금에 낭만을 더하자면 한 사람은 하나의 별과 다름이 없다.
그 꽃은 향기가 난다. 저 달은 연인들의 밤을 비추어준다.
그 음악도, 새들도, 글도 모두 사랑스럽다.
아름다운 공상, 이 모두 찰나라 할지라도.

24.
해주고 싶은 말

여러분은 사랑의 결정체.
가장 아름다웠던 순간 마치 눈이 내리듯.
뜨거운 심장 맞닿고 단 둘만이 존재하듯.
마음 아픈 이들에게 꼭 해주고 싶은 말.
세상 무엇보다 따뜻하고 사랑스러웠던 순간.
그 사랑의 결정체.

25.
밤하늘

소년, 글을 읽어 보았다.
어느새 당신보다 나이가 많아진 내게 영원할 소년이여.
별이 떠있는 밤이면 울적해지는 것이,
나는 행복에 겨운 이로구나.

저 별 하나에 당신의 시를 적고선
이 별에는 더 이상 네가 없음을 깨달았다.

저 수없는 별들에 네가 사랑했던 이들의 이름을 불러주리라.

어른이 되어버린 내게 아직도 부끄러움만 주는 이여.
내게 영원할 소년이여. 그곳에서 평안히
하늘과 바람과 별과 시 되어 흐르리라.

소년, 그대의 유토피아 그곳에 있으리라.

26.
쓰여진 시

잠이 오지 않는다.
커튼은 야경을 가렸다. 전등은 달빛을 외롭게 한다.
천장은 하얗다. 마치 내 옆에 누운 여인만큼.
나에게 남은 밤들 중 하나, 이렇게 사라지는 것인가.
눈을 감아보니 어제 본 영화가 떠올랐다. 영화의 주인공은 그곳에 머무르나.
조금 추워져 이불을 덮었다. 내 옆에 여인은 잠이 들었다. 사랑스럽다.
잠은 여전히 오지 않는다. 옆으로 돌아누워 야경을 가린 커튼을 바라본다.
잠시 일어나 창을 연다. 전등은 찬찬히 어두워진다. 은은한 달빛이 든다.
밤은 사랑을 위한 것. 밤은 제 몫을 내게 건넨다.
따뜻하다. 내 눈은 천장을 가렸다. 잠이 든다. 내 옆에 여인처럼.

27.
이 터무니없는 행복에 감사

작은 선물들에 대한 찬사.
그리고 이 모든 환상에 대한 인사.

받기만 하며 자라
모든 게 당연한 줄 알았다.

어른이 되었을 때
내가 누려온 것들은 모두
누군가에 희생이 필요했다는 것을.
적어도 내가 누려온 것들은
하루 10시간의 일과 밤을 새우는 고민들,
고지서에 적혀있는 뚜렷한 근심들이라는 것을.

오늘 내게 주어진 행운은
내가 사랑하는 이들에게 작은 선물을 전할 수 있는 것.

나를 지킨 모든 이들에게 감사.
이 터무니없는 행복에 감사.
이 모든 환상에 대한 인사.

28.
지나야 어여쁜 것들. 너도 그렇다.

꼭 지나야 더 어여쁜 것들이 있더라.
지난겨울도 그랬고
이번 여름도 그랬지.
이맘때즈음 볼이 뜨거워지는 건
인사도 없이 보낸 계절이
너무 그리워서 일거야.
그럴 거야 아마.

29.
어른이 여러분

어른은 까지고 벗겨진 상처들이 흉 지지 않도록
연고를 잘 발라주는 사람. 엄마, 아빠가 늘 그래주셨듯이.
특히나! 스스로 치료를 할 줄 아는 사람.
어쩌면 스스로 치료를 해야만 하는 사람.
부디 좋은 어른이 되어요. 어른이 여러분.

30.
천사가 있다. 증명할 필요도 없이.

하필 그때 난 어려서
하필 내가 나중 태어나
하필 그녀의 시계는 고장 나지 않아서.
떠났다. 훨훨 날아가 버렸다.

내 곁을 지키던 천사.
15살이 되던 해부터 신을 믿었다.
그녀가 있는 곳 지켜달라며 기도를 한다.

31.
별 아니 꽃아니 너

내가 기분이 좋을 때 읊조릴 것들을 나열한다.
별, 꽃, 너

마음에도 깊이가 생겨
물결은 내 콧등 주위에 찰랑인다.
그럴 때면 내가 가진 것 중 가장 시적인 것들을 읊어본다.
별, 꽃, 너

어느 순간 내 눈꺼풀이 무거워질 때에
내 곁에 남기를 바라며 떠올린다.
별, 아니
꽃, 아니
너

모래사장에 써놓은 이름,
김 서린 창문에 낙서,
보고 싶은 이에게 보내는 편지
그 모두 시와 사랑이라

그대라는 이름의 시
온종일 흐르리라 나의 유토피아.